精神专科医院建设标准

建标 176 — 2016

主编部门：中华人民共和国国家卫生和计划生育委员会
批准部门：中华人民共和国住房和城乡建设部
　　　　　中华人民共和国国家发展和改革委员会
施行日期：2017年3月1日

中国计划出版社

2016 北 京

中华人民共和国住房和城乡建设部
中华人民共和国国家发展和改革委员会
精神专科医院建设标准
建标 176—2016
☆
中国计划出版社出版发行
网址:www.jhpress.com
地址:北京市西城区木樨地北里甲 11 号国宏大厦 C 座 3 层
邮政编码:100038　电话:(010)63906433(发行部)
三河富华印刷包装有限公司印刷

850mm×1168mm　1/32　1 印张　21 千字
2017 年 2 月第 1 版　2017 年 2 月第 1 次印刷
☆
统一书号:155182・0053
定价:12.00 元

住房城乡建设部　国家发展改革委关于批准发布《精神专科医院建设标准》的通知

建标〔2016〕267号

国务院有关部门，各省、自治区、直辖市、计划单列市住房城乡建设厅（建委、建设局）、发展改革委，新疆生产建设兵团建设局、发展改革委：

根据建设部工程项目建设标准编制项目计划和国家发展改革委下达建设部中央预算内投资计划安排，由国家卫生计生委组织编制的《精神专科医院建设标准》已经有关部门会审，现批准发布，自2017年3月1日起施行。

在精神专科医院建设项目的审批、核准、设计和建设过程中，要严格遵守国家关于严格控制建设标准、进一步降低工程造价的相关要求，认真执行本建设标准，坚决控制工程造价。

本建设标准的管理由住房城乡建设部、国家发展改革委负责，具体解释工作由国家卫生计生委负责。

中华人民共和国住房和城乡建设部

中华人民共和国国家发展和改革委员会

2016年11月18日

前　　言

《精神专科医院建设标准》(以下简称“本建设标准”)是根据《工程项目建设标准编制程序规定》和《工程项目建设标准编写规定》的要求,按照原建设部《关于印发〈2008年工程项目建设标准和建设项目评价方法与参数编制项目计划〉的通知》(建标函〔2008〕24号)的安排,由中国中元国际工程有限公司会同华东建筑设计研究院有限公司、北京大学第六医院等单位共同编制。

在编制过程中,编制组进行了广泛深入的调查研究,认真分析了全国各级各类精神专科医院现状情况,并在总结我国精神专科医院建设的经验教训基础上,本着以人为本、方便患者的原则制定本建设标准。本建设标准共分五章,包括总则、建设规模与项目构成、建筑面积指标、建设用地与规划布局和建筑标准。

请各单位和个人在执行本建设标准的过程中,认真总结经验,积累资料,如发现需要修改或补充之处,请将意见和有关资料寄至中国中元国际工程有限公司(地址:北京市海淀区西三环北路5号,邮政编码:100089),以便今后修订时参考。

主 编 单 位:中国中元国际工程有限公司

参 编 单 位:华东建筑设计研究院有限公司

北京大学第六医院

北京回龙观医院

北京市建筑设计研究院有限公司

北京大学公卫学院

中国女医师协会

河南省卫生计生委

内蒙古自治区卫生计生委

主要起草人:黄锡璆　许海涛　刘殿奎　邱茂新　范肖冬
曹连元　张　鹏　杨广泽　杨海宇　吴翔天
曲怡然　郭　岩　于　冬

目　录

第一章　总　　则

第一条　为加强和规范精神专科医院建设，提高精神专科医院建设项目决策和工程管理水平，合理确定建设规模，正确掌握建设标准，满足精神专科医院基本功能需要，充分发挥投资效益，制定本建设标准。

第二条　本建设标准是为精神专科医院建设项目科学决策、合理确定建设水平服务的全国统一标准，是审批、核准精神专科医院建设项目的依据，是有关部门审查项目设计和对工程项目建设全过程监督、检查的尺度。

第三条　本建设标准适用于精神专科医院的新建、改建和扩建工程项目。

第四条　精神专科医院的建设，必须遵守国家有关法律、法规和国家发展卫生事业的技术经济政策，正确处理需要与可能、现状与发展的关系，做到规模适宜、装备适度、经济合理、安全卫生、节能环保。

第五条　精神专科医院的建设，应坚持以人为本、方便患者的原则，在满足各项功能需要的同时，注重改善患者的就医条件和医护人员的工作条件，做到功能完善、流程科学。

第六条　精神专科医院的建设，应符合所在地区城镇总体规划、区域卫生规划和医疗机构设置规划的要求，充分利用现有卫生资源，避免重复或过于集中建设。

现有精神专科医院的改建、扩建，应合理利用原有设施，厉行节约，避免浪费。

第七条　精神专科医院的建设，应对院区进行总体规划，经批准后，根据需要和投资可能，一次或分期实施。

第八条　精神专科医院的建设除应执行本建设标准外，尚应符合国家现行有关标准、规范和定额、指标的规定。

第二章　建设规模与项目构成

第九条　精神专科医院的床位规模，按病床数量可分为199床及以下、200床～499床、500床及以上三种规模。精神专科医院的床位规模应根据当地城镇总体规划、区域卫生规划、医疗机构设置规划、服务人口数量、经济发展水平、精神卫生资源和精神卫生服务的需求进行综合平衡后确定。

第十条　精神专科医院项目构成包括房屋建筑和场地。其中房屋建筑主要包括急诊部、门诊部、住院部、医技科室、康复治疗、保障系统、行政管理和院内生活等用房。场地包括道路、绿地、室外活动场地和停车场等。

承担预防保健、医学科研和教学任务的精神专科医院，还应包括相应的预防保健、科研和教学设施。

第十一条　精神专科医院建设应坚持专业化协作和社会化服务的原则，充分利用城镇公共设施。

第三章　建筑面积指标

第十二条　精神专科医院中急诊部、门诊部、住院部、医技科室、康复治疗、保障系统、行政管理和院内生活等八项设施的床均建筑面积指标应符合表1的规定。

表1　精神专科医院床均建筑面积指标(m^2/床)

建设规模	199床及以下	200床～499床	500床及以上
面积指标	58	60	62

第十三条　精神专科医院各组成部分用房在总建筑面积中所占比例宜符合表2的规定。

表2　精神专科医院各组成部分用房占总建筑面积的比例(%)

部门＼规模	199床及以下	200床～499床	500床及以上
急诊部	0	2	2
门诊部	12	12	13
住院部	54	54	52
医技科室	14	12	14
康复治疗	4	4	3
保障系统	8	8	8
行政管理	4	4	4
院内生活	4	4	4

注：使用中，各组成部分用房占总建筑面积的比例可根据实际需要适当调整。

第十四条　精神专科医院预防保健用房的建筑面积，应按编制内每位预防保健工作人员$20m^2$增加。

第十五条　拥有科研人员编制的精神专科医院，应按编制内每位科研工作人员$32m^2$的标准另行增加科研用房的建筑面积。没有科研人员编制的三级精神专科医院应以副高级及以上专业技术人员总数的70%为基数，按每人32m²的标准另行增加科研用房。

第十六条 精神专科医院作为医学院校的附属医院、教学医院和实习医院的，其教学用房建筑面积指标应符合表3的规定。

表3 精神专科医院教学用房建筑面积指标(m²/床)

医院分类	附属医院	教学医院	实习医院
面积指标	1.6～2	0.8	0.5

第十七条 磁共振成像装置等大型医用设备的房屋建筑面积可参照《综合医院建设标准》确定。

第十八条 精神专科医院应配套建设机动车和非机动车停车设施。停车的数量和停车库(场)的建筑面积指标，应按建设项目所在地区的有关规定执行。

第十九条 根据建设项目所在地区的实际情况和要求，需要配套建设采暖锅炉房(热力交换站)、人民防空设施的，应按有关标准另行增加建筑面积。

第四章　建设用地与规划布局

第二十条　精神专科医院的选址应满足医院功能与环境的要求，院址应选择在患者就医方便、交通便利、环境安静、地形比较规整、工程和水文地质条件较好的位置，并应充分利用城镇基础设施，应避开污染源和易燃、易爆物的生产、贮存场所。

精神专科医院的选址尚应充分考虑医疗工作和服务对象的特殊性质，按照公共卫生方面的有关要求，协调好与周边环境的关系。

第二十一条　精神专科医院的规划布局与平面布置应符合下列规定：

一、建筑布局合理、节约用地。

二、满足基本功能需要，并适当考虑未来发展。

三、根据不同地区的气象条件，合理确定建筑物的朝向，充分利用自然通风与自然采光，减少能耗。

四、功能分区明确，科学组织人流、物流，避免或减少交叉感染。

五、充分利用地形地貌，在不影响使用功能和满足安全卫生要求的前提下，医院建筑可适当集中布置。

六、配套建设机动车和非机动车停车设施。

第二十二条　精神专科医院容积率宜控制在0.5～0.8。

第二十三条　精神专科医院的绿地率应符合当地有关规定。

第五章 建筑标准

第二十四条 精神专科医院的建设应贯彻适用、安全、经济的原则,建筑标准应根据不同地区的经济条件合理确定。

第二十五条 精神专科医院建设应符合国家环境保护、建筑节能的相关法律、法规和标准。医疗业务用房应符合医院感染预防与控制的要求。

第二十六条 精神专科医院的建设应符合国家及地方有关无障碍设施建设的规定,应考虑服务对象的特殊性,设置无性别卫生间。

第二十七条 精神专科医院的建筑耐火等级和消防设施的配置应符合国家建筑设计防火规范的有关规定。

第二十八条 精神专科医院宜为多层建筑。各类用房应符合国家结构安全及抗震设防的有关规范规定,主要建筑的结构形式应考虑使用的灵活性和改造的可能性。

第二十九条 精神专科医院的建筑装修和环境设计应简洁、大方,有利于患者康复。

第三十条 精神专科医院的建设应选用坚固、安全的材料和设备。

第三十一条 精神专科医院的院区管网应采用分区专线供应。主要建筑物内,应设置管道井并按需要设置设备层。主要管道沟应便于维修和通风,应采取防水措施。

第三十二条 精神专科医院的供电设施应安全可靠,保证不间断供电,应采用双回路供电,并宜设置自备电源。院区内应采用分回路供电方式。

第三十三条 精神专科医院的供水设施应安全可靠,并应符合国家有关水质的相关标准要求。

第三十四条 精神专科医院宜配置与其建设规模和技术业务、行政管理工作相适应的信息系统、通信系统和安全技术防范系统。

第三十五条 精神专科医院应配置完善、清晰、醒目的标识系统。

第三十六条 精神专科医院应设置安全可靠的医用气体供应装置。

第三十七条 精神专科医院应建设污水、污物处理设施，污水的排放与医疗废物和生活垃圾的分类、归集、存放与处置应符合国家有关环境保护的规定。

本建设标准用词和用语说明

1 为便于在执行本建设标准条文时区别对待，对要求严格程度不同的用词说明如下：

1) 表示很严格，非这样做不可的：

正面词采用“必须”，反面词采用“严禁”；

2) 表示严格，在正常情况下均应这样做的：

正面词采用“应”，反面词采用“不应”或“不得”；

3) 表示允许稍有选择，在条件许可时首先应这样做的：

正面词采用“宜”，反面词采用“不宜”；

4) 表示有选择，在一定条件下可以这样做的，采用“可”。

2 条文中指明应按其他有关标准执行的写法为：“应符合……的规定”或“应按……执行”。

附　件

精神专科医院建设标准

建标 176 — 2016

条 文 说 明

目　　录

第一章　总　　则

第一条　近年来，国家和地方都投入大量资金，用于精神专科医院建设，全国许多精神专科医院得到新建、扩建或者改造，设备得到了补充和更新，有力地促进了我国精神卫生事业的发展。但是在精神专科医院建设中，各地均不同程度地存在规模与需求、功能流程与使用等不相适应的情况，既造成了医疗卫生资源的浪费，也制约了精神卫生事业更好地发展。因此，制定本建设标准对于提升精神专科医院工程项目决策水平和建设管理水平，规范建设行为，提高投资效益具有重要意义。

第二条　本建设标准是在调查全国近400所精神专科医院，并对比分析了国外部分精神专科医院的数据，结合我国国情和医院功能需求，充分征求各方面意见的基础上制定的，是为项目决策服务的统一标准，在技术、经济、管理上起宏观管理作用，具有很大的政策性、实用性，是编制、评估、审批精神专科医院工程建设可行性研究报告的重要依据，也是有关部门审查工程项目初步设计和监督检查建设标准的重要尺度。

第三条　本建设标准适用于精神专科医院新建、改建、扩建工程项目。受既有条件限制，暂时达不到标准的，今后可逐步达到。

第四条　精神专科医院的建设必须与项目所在地区的经济社会发展水平相适应，同时要根据当地实际情况，处理好需要与可能、现状与发展的关系，力求在规模、功能、装备、建设水平等方面达到比较合理的水平。

精神专科医院的建设工作应依法进行，必须遵守国家有关经济建设的法律、法规和发展卫生事业的技术经济政策，增强科学性，避免盲目性、随意性。

第五条　本条规定了精神专科医院建设应达到的基本要求。精神专科医院是以诊治疾病、照护病人为主要目的，对病人的生命和健康负有重大责任，加之服务对象特殊，治疗周期长，因此精神专科医院建设应坚持以人为本、以患者为中心的原则。建设中应满足各项功能的基本需求，并尽可能地改善病人的就诊和住院条件。同时要注意改善医护人员的工作条件，使其能够在较好的环境中为病人提供良好的服务。

第六条 精神专科医院的建设应考虑当地的人口分布及区域卫生规划、医疗机构设置规划，避免出现一个地区有多家医院，而其他地区却没有的情况出现，促进医疗资源的合理配置。

精神专科医院在进行改建、扩建时，应将原有设施中能够利用的部分计入所定规模的总面积中，合理规划、充分利用。这应成为精神专科医院改建、扩建工程必须遵循的重要原则。

第七条 精神专科医院的建设，应按照科学性、实用性与前瞻性相结合的原则，根据所在地区和医院自身的发展情况，对院区进行一次性总体规划。经过有关部门批准后，可根据实际需要和财力、物力等条件，一次或分期实施。其目的在于限制不遵循规划、随意建房、任意扩大医院规模等违反管理科学和医院发展规律的不正确做法。严格执行本条规定，按照规划进行建设，将使医院始终保持适度的规模、合理的布局、科学的流程和良好的环境。

第八条 本条明确了本建设标准与国家现行的有关工程建设强制标准、规范、定额、指标的关系，随着国家标准化、规范化工作的进展，必将有更多的标准、规范、定额、指标陆续发布，凡与精神专科医院建设工作有关的，均应认真贯彻执行。

第二章　建设规模与项目构成

第九条　本建设标准按照病床数量的多少，将精神专科医院划分为199床及以下、200床～499床、500床及以上三种建设规模。精神专科医院收治的病人特殊，住院周期长、护理工作量大，且医院需要相当数量的康复设施，如规模过大，会产生患者过于集中、难以管理、环境质量难以达到要求、综合效益降低等问题，因此不鼓励建设500床以上的精神专科医院。

第十条　根据精神专科医院所需要承担的临床医疗任务，按照科学管理和实际工作的需要，本条规定了精神专科医院的基本建设项目由急诊部、门诊部、住院部、医技科室、康复治疗、保障系统、行政管理和院内生活等八部分组成。这些项目建成后，一所医院即可投入使用。承担预防保健、教学及科研任务的精神专科医院，应包含相应设施。

工作、娱乐等康复治疗是精神专科医院最重要的治疗手段之一，为进一步提升我国精神专科医院建设整体水平，突出专业特点，本建设标准在项目构成中单独列出了康复治疗用房，希望加强和规范此类用房建设。

第十一条　由于精神专科医院的规模普遍不大，如果将医院办成小而全的机构，附属设施全部独立设置，势必增加建设和管理、运行成本。为此，本建设标准提倡医院附属配套设施向社会化发展，尽可能利用社会协作条件进行建设。

第三章　建筑面积指标

第十二条　本条规定了精神专科医院中以床位规模为基本参数确定的急诊部、门诊部、住院部、医技科室、康复治疗、保障系统、行政管理和院内生活等八项基本建设内容的床均建筑面积指标。

由于我国一直没有精神专科医院建设标准，因此本条中的建筑面积指标是通过如下方式进行了对比研究确定的。

1. 根据我国精神专科医院功能需求、临床医学发展趋势等，按不同床位规模编制合理的建筑方案，从而确定不同规模的床均建筑面积指标，详见附表1。

附表1　精神专科医院方案设计床均建筑面积指标(m^2/床)

规模	70床	150床	200床	300床	500床
面积	58.26	58.40	60.71	60.56	62.45

2. 对比医院现状调查情况，对测算指标进行验证、调整。

2006年，编制组对全国30个省、自治区、直辖市的近400所精神专科医院进行调查，床均建筑面积指标为$30m^2$～$60m^2$，详见附表2。

附表2　精神专科医院床均建筑面积指标(m^2/床)

规模	70床以下	70床～199床	200床～499床	500床及以上	合计
面积	60.28	52.42	51.17	30.03	45.40

从调查结果来看，精神专科医院床均建筑面积指标很低，客观反映了我国精神专科医院房屋设施的现状情况，编制组在实地调研中发现，大部分精神专科医院基础设施条件很差，很多都是几十人一间的大病房，门诊医技、康复治疗等用房也严重不足，还有部分用房为危房。因此在多次研究、讨论过程中，各方面专家均认为现有房屋设施条件严重滞后于业务工作需要，制约了我国精神专

科的发展，与我国当前经济社会发展极不匹配，现状调查数据对新时期精神专科医院建设不具备指导意义，不宜作为标准的编制依据。

调研过程中，编制组也发现我国精神医学专科目前正处于快速发展中，无论是临床诊断治疗还是教学科研工作均取得了显著的成绩，同时也急需改善基础设施条件，适当扩大规模。

综合考虑经济社会和精神医学学科发展的需要，在广泛征求医学、建筑、经济、管理等各方面专家意见的基础上，编制组决定在参照国外精神专科医院相关标准的基础上，采用方案设计的面积作为标准的指标，为保证指标的科学性和适应性，编制组组织国内专家对各方案进行了多次研究、论证，最终根据设计方案确定精神专科医院床均建筑面积指标为 $58m^2 \sim 62m^2$。

调查数据显示，随着床位数的增加，精神专科医院床均建筑面积呈现减少的趋势。但在各次讨论会议中，精神医学专家认为规模越大的精神专科医院功能越完善，承担急、难、险、重病人的救治任务也越多，其所需的建筑面积应多于规模小的医院，现有医院受制于资金等方面的因素，建筑规模过小，大量建筑超负荷使用，不符合学科发展的规律，方案设计也验证了上述意见，因此本建设标准采用随着医院规模的扩大，床均建筑面积适当增加的模式。

第十三条 本条确定了八项基本建设内容在精神专科医院总建筑面积中所占有的比例。该比例是在对若干基础数据进行整理，并经过综合分析后确定的。使用过程中，各项比例可根据地区和医院的实际需要做适当调整。

第十四条 精神专科医院一般会承担一定的预防保健工作，考虑其工作特点，其用房建筑面积指标参照《综合医院建设标准》确定。

第十五条 考虑到精神专科医院实际医学科研能力，本建设标准规定有科研人员编制的和三级精神专科医院可以设置科研用房。具体面积指标参照《综合医院建设标准》确定。

第十六条 承担临床教学任务的精神专科医院有三种类型，即附属医院、教学医院和实习医院。调研发现，精神专科医院床位数与承担学生教学任务的比例平均为1∶5左右，即每张床可以承担5个学生的教学任务。考虑到医院教学用房的共性，参照《综合医院建设标准》确定精神专科医院教学用房的建筑面积指标。

第十七条 大型医用设备不是精神专科医院必配的设备，因此这些设备用房未包含在八项设施床均建筑面积指标中。如需配置，可参照《综合医院建设标准》确定。

第十八条 随着人民生活水平的提高和交通设施的不断改善，乘用各种车辆到医院就诊的患者、探视的家属和健康检查（咨询）者越来越多。在适当的位置（地上或地下）设置公共停车场，已成为医院建设工作中必须考虑的问题。不少省、自治区、直辖市对医院建设停车设施也都有明确规定。因此在精神专科医院建设中应根据当地规定，增加停车场建筑面积。

第十九条 需要建设人防设施的精神专科医院，应尽量将人防与停车设施共建，确保平战结合，节约建设投资和运行成本。

第四章　建设用地与规划布局

第二十条　建设用地的选择，对一所精神专科医院的建设和发展至关重要。它对建设投资的多少、工期的长短以及建成后效益的好坏都有很重要的影响，应该认真对待。本条规定了精神专科医院选址应遵循的原则。精神专科医院的选址，既要考虑患者特点和医疗工作特点，也要考虑外界对医院环境和医院特殊工作特点对周边环境的影响，确保安全。

第二十一条　本条明确了精神专科医院规划建设应该遵循的几项主要原则。做好总体规划是建设工作中一个不可缺少的重要环节，没有一个科学合理，符合城镇总体规划、区域卫生规划和医疗机构设置规划要求以及适应医院事业发展的总体建设规划，就不可能建好一所医院。在实际工作中，几项主要原则应予以全面贯彻，不可偏废。

第二十二条　精神专科医院工作特点要求要有较大的用地规模，只有有了用地规模的保证，才能实现较低的建筑密度、良好的朝向、较大的建筑间距、顺畅的自然通风和较高的绿化率，才能为患者创造良好的治疗、康复环境。根据 2006 年全国调查情况来看，精神专科医院床均建设用地指标为 119.86m^2，详见附表 3。

附表 3　精神专科医院床均建设用地指标(m^2/床)

规模	70 床以下	70 床～199 床	200 床～499 床	500 床以上(含 500 床)	合计
面积	127.83	235.32	132.00	69.76	119.86

上述数据显示尽管精神专科医院现有房屋设施条件很差，但总体用地条件还是较好的，与精神卫生医疗工作特点是适应的。从总体看，级别越高、床位规模越大的医院用地指标越小，体现出大、中城市用地紧张的客观情况。因此考虑到实际现状和方案设

计情况，将精神专科医院建设用地容积率确定为0.5～0.8。

第二十三条 精神专科医院临床治疗的特点决定了医院应为患者提供良好的室外空间环境，绿化率是一个重要的衡量指标，目前各地均已制定了相应的标准和要求，应遵照执行。

第五章 建筑标准

第二十四条 “适用、安全、经济，在可能条件下注意美观”是我国的基本建设方针，也是建筑标准的总控制原则。精神专科医院的建筑标准应与财力、物力、功能等统一，坚决避免片面追求建筑形式和豪华装修。

第二十五条 环境保护是国家的基本国策，建筑节能是国家的基本发展战略，精神专科医院建设中应严格遵守。

第二十六条 无障碍设施的建设已成为城市及单体建筑建设中不可或缺的内容，加之精神专科医院服务对象的特殊性，因此在精神专科医院建设中要求无障碍设施要更加完善、适用，保障残疾患者及其他到医院来的残疾人的需要。

第二十七条 本条规定了精神专科医院的建筑防火和消防设施的要求。由于精神专科医院工作性质和工作对象的特殊性，防火和消防工作尤为重要。从医院的设计、建设到使用、管理，每个环节都应高度重视这项工作，并应制定突发火灾时的紧急灭火、疏散和救援方案，确保消防安全。

第二十八条 精神疾病患者的特点决定了建筑本身应尽量减少安全隐患，一般情况下，精神专科医院应采用多层建筑。同时对于结构主体安全及使用的灵活性应予以充分的重视，便于今后根据医学发展需要进行改造。

第二十九条 本条规定了精神专科医院建筑装修和环境设计方面总的要求。

第三十条 精神疾病患者存在自律性差以及肇事、肇祸的可能性，因此作为其在发病期间的居留场所，精神专科医院必须具备足够的安全性。本条强调建设中应尽可能地消除安全隐患，保护患者和医护人员的安全。

第三十一条　蒸汽、冷热水和冬季供暖采用分区专线供应的方法，既便于日常的维修与管理，又可以节约能源。由于医院内的管道种类多、线路长，遇有较大故障就需大规模拆装，十分不便，适当加大下水管口径，采取有效的防堵塞措施并设置管道井和设备层，有利于日常的维修、保养与今后的扩容改造。

不少精神专科医院室外管沟低矮狭窄，且没有防水措施，沟内积水严重，不仅腐蚀管线，也不利于维修。因此本条强调了管道沟建设时应采取有效措施，防止地下水渗入，并便于维修、改造和通风。

第三十二条　精神专科医院的工作特点要求具备安全可靠的不间断供电条件，应实行双路供电（来自不同变电站的两路电源）。不具备双路供电条件的医院应设置自备电源。院区内应采用分路供电的方式，目的是为了保障设备的安全运转。

鉴于精神专科医院工作的特殊性，还宜考虑设置突发供电故障时的备用电源。备用电源应保证医院一定范围内和一定时间段的用电需求。

第三十三条　持续稳定、水质合格的供水也是精神专科医院建设的必备条件，在项目建设前期应尽早落实。

第三十四条　随着经济社会的发展和医疗技术的进步，医院对信息系统、通信系统的依赖程度越来越高。本条明确了精神专科医院应配置与其建设规模和实际工作需要相适应的信息系统、通信系统和安全技术防范系统的要求。

第三十五条　本条是关于精神专科医院标识系统的要求。医院标识要完善、简洁、清晰、醒目，而且要有无障碍标识。有需要的，尚应设置中英文对照标志。

第三十六条　本条是关于精神专科医院医用气体供应设施的要求。医院可根据具体情况采用集中供应或就地供应的方式。

第三十七条　污水、医疗废物和生活垃圾处理设施是很重要的配套设施，应严格执行国家有关标准、规范要求，并与医疗用房同时设计、同时施工、同时使用，保证污水、医疗废物和生活垃圾得到及时有效处理。